KB103614

우리는 왜 일기 속에 편지를 쓰나요

하현태 시집

차례

시인의 말

사랑을 전할게요 나머지를 바쳐서

그 모든 거리를 사랑하는 시간   12
하루 온전히   14
후회   16
홍차   18
파도 같은 나의 사람   20
엔터   22
음력 2월 29일   26
눈꺼풀   28
계절이 되겠다   32
저주와 고백은 한 끗 차이   34

정녕 그거 하나에 사람은 살아간단다

꽃의 삶을 사는 당신   38
그 넓은 빈자리를 너로 채우게 돼   42
하늘마저 멀어지는 계절   44
그렇구나, 그래   48
환절기   50

이른 가을은 아직 여름의 얼굴을 하고 있다   52

목격자   54

나의 사랑은 늘 그런 모양   56

가을이구나   60

사랑이 별거니   64

쏟아져나오는문장의출처는어디인지

여름 향수(鄉愁)   68

까딱 까딱 까딱 까딱 까딱   70

나무 액자   74

손톱만큼의 값어치   76

잊은 줄 알았던 소나기는 불현듯 어깨를 적신다   78

해본 적도 없다   80

속 시끄럽게 사랑   82

25   84

각질투성이 사랑   86

사랑은 기어코 깨물어 보게 되는 사탕   88

화자와 필자는 달라야 해

인연   93

머리가 붉어지는 계절   94

유난히 보고픈 밤   98

노크 100

한심한 일 102

행복은 생각만큼 멀지 않았다 104

새벽에만 만나네요 106

속삭임과 속 썩임 110

가상현실 112

핑계는 새빨간 거짓말이 죄책감에 연해진 마음 114

시인의 말

—

마흔개의사랑은순차적(順次的)인구성을이루고있어요
제목과본문이한장을이루고있어요

—

사랑을 전할게요 나머지를 바쳐서

그 모든 거리를 사랑하는 시간

파란 창가에 묻은 하얀 십자가
가장자리에 묻은 검정 가로등

회색 보도블록을 뚫은 빨간 나무
가장자리에 이어진 검정 안전바

회색 아스팔트에 묻은 노란 경계
중앙에 자리 잡은 하얀 화살표

그 언저리 덮인 하얀 줄의 노란 천 혹은
노란 줄의 하얀 천

짙게 푸른 하늘과 투명한 창문
그 모든 거리를 사랑하는 시간

하루 온전히

연과 월과 일에도
시침과 분침과 초침에도
들숨과 날숨과 한숨에도

잠과 깸과 밥에도
외출과 산책과 휴식에도
수풀과 인적과 도로에도

모든 순간과 찰나에도
기쁨과 슬픔에도
절망과 희망에도

네가 서 있다
하루 온전히

후회

후회(後悔)는 한숨처럼 퍼져나가고
쪼그라든 허파 가득 후회(後會)만

고작 텅 빈 의자를 위한 것이었음을
그때 알지 못한 것을 영영 슬퍼하겠다

정녕 아쉬움만
도착한 그곳에서 잠깐의 흐느낌으로 느껴본다

스무 번의 겨울은 변함없이 추웠다
다만 여섯 번의 봄이 스쳤을 뿐

홍차

곧 무너질 모래성이라 해도
나는 꼭대기 테라스에 앉아
다 식어 빠진 홍차를 즐기겠다

무엇 하나 내려다볼 수 없어도
이 순간만은 영원히 돌아올 것을 알기에
안간힘을 다해 기억하겠다

찻잔의 홍차가 더 이상 홍차가 아니게 되어도
찻잔의 홍차가 사장(沙場)된 순간이 오더라도
흔쾌히 씹어 삼키겠다

곧 무너질 모래성이라 할지라도
나는 꼭대기 테라스에 앉아
홍차를 즐기겠다

파도 같은 나의 사람

기어코 발목부터 잠겨와 정수리까지 삼킨
나의 사람아

사뭇 스쳐 지나간 바람과 잠깐 흘려보낸 낙엽 사이
그 어디에도 머무른 나의 사람아

사랑하지 않으려 해도 품속에 뛰어 들어와 기어코 사
랑스러운 나의 사람아

숨도 쉴 수 없이 입에 댈 수 없이 끝내
죽어갈지라도

결국 집어삼킨 나의 사랑아

엔터

두 번 눌러야 보여요

그때의 카메라가
그 카메라의 렌즈가 향한 케이크가
그 케이크 아래의 그릇과 포크들이

01:33
감기다가도 뜨이는 눈과
사뭇 어지러운 머리와
왈츠를 들으며 글을 쓰는 손가락

01:34
잘 시간을 놓친 백수를 아시나요

우연히 찾은 노래에 혼을 빼앗기고
자주 보는 타로에 희망을 걸고
곧 있을 여행에 설레어 잠 못 이루는 새벽

두 번 눌러야 보여요
스치듯 누르면 아무 반응도 없어요
빠르게 두 번
성심성의껏

알트와 탭은 요즘이 제일 바빠요
컨트롤과 탭도 요즘이 제일 바빠요
탭이 제일 바빠요
그리고 스페이스바

그리고 마우스 휠
드르륵 드륵 드르륵
딸깍 딸깍
소리를 글로 쓰는 창작의 고통

엔터

음력 2월 29일

괜한 걱정만 사서 돌아오는 길은
유난히 길고 어두운 밤이다

매화꽃 환히 필 무렵은
햇살마저 쨍해 찌푸려지는 낮이다

여유로운 커피 한 잔에 머리가 메케하고
조곤대는 수다 소리에 마음이 뜨끔한다

유독 파란 날이다
하늘도 강도 심지어 스마트폰도
싸한 기분마저 드는 푸른 날

3월이 왔음을 어깨로 느낀다

심장만 바쁘다
뇌는 텅 비었는데
손가락마저 일이 없는데

괜한 걱정만 무겁게 업고 돌아온 집은
유독 어둡고 긴 밤이다

눈꺼풀

사뭇 찬 바람이 분다
닫은 문이 열리면
언제 그랬냐는 듯 거실은 어둡다

덩그러니 놓인 화병
새하얀 꽃은 누구인가

달그락거리는 소리에
하루치 감정을 담는 새벽이 길다

답답한 가슴과 무거운 눈꺼풀
부지런히도 찾아오는 난장 속 고독

쓸모없는 초침이 뛰논다
의미 없는 분침은 찌르고
영혼 없는 시침을 밀어낸다

25시간이 지나고
지나 있는 9시간을 느끼면
종아리는 뻐근하고
유독 허탈한 기분이다

매일이 춥다
40도의 이부자리가 덧없이

그렇게 눈을 뜨면
또 다른 25시간과 9시간이

그렇게 눈을 감으면
언제나 그랬듯 거실은 어둡다

계절이 되겠다

너의 잊히지 않을 계절이 되겠다
화사한 벚꽃과 사이사이의 햇볕이 늘 푸르고 근사한

애써 떠올리지 않아도
그저 두둥실 떠올라 머물겠다

너만의 잊을 수 없는 계절이
향기로운 내음과 드문드문 마음을 품은 사랑스런

그저 그렇게 머무르겠다

구름 너머 지저귀겠다
다리 너머 속삭이겠다
그렇게라도 곁에 남겠다

널 기억하고 네가 기억하는
계절이 되어 돌아오겠다

저주와 고백은 한 끗 차이

벌거벗은 이 마음을 받아주세요
천 조각 하나 걸치지 못한 몰골로 빌게요
나를 사랑해주세요

그림자조차 없는 새벽
나는 당신의 대문에 기도해요
당신 때문에 전부를 버렸어요

사랑을 전할게요 나머지를 바쳐서
마스카라가 번진 눈두덩이로 웃어 보일게요

쇳소리를 이해해주세요
질펀한 핏물마저 모두 쏟아낸 탓이니

내가 이러하듯
당신도 나를 이리 다루세요

정녕 그거 하나에 사람은 살아간단다

꽃의 삶을 사는 당신

가로등 아래 민들레에 웃음이 나는 건
당신의 얼굴이 겹쳤기 때문이겠죠

구원받은 듯 빛나는 꽃을 내려다본다
다만 한 발짝 물러나 우두커니

꽃의 삶이 그러하죠
버려진 곳에서 피어나도 주목받고
시선의 사랑을 받죠

나풀거리는 꽃잎을 따라 갸웃거리다
문득 그림자에 숨이 막힐까 걱정하며 물러난다

가로등 아래 민들레에 미소 짓는 건
그대의 모습이 겹쳤기 때문이다

그러니 오늘은 집에 가는 길
처음으로 입을 맞추었던 가로등 아래 피어난 민들레
를 보며

꽃의 삶을 사는 당신을
심술 맞게 꺾어버린 어제를 반성한다

보기 좋다는 이유로 집에 들인
과한 욕심을 반성한다

그 넓은 빈자리를 너로 채우게 돼

불어오는 바람에 가만히 감으면
형용할 수 없는 시원함에 머릿속까지 맑아지는 웃음
만

들이쉰 바람에 묻은 낙엽 향의 개운함
허공을 발길질하며 환하게 웃는 얼굴을 보고 있자면
그래야만 한다는 듯 연신 셔터를 누르게 돼

샤아아아
나무의 상쾌한 미소

내뱉은 바람에 담긴 이루어지지 못할 후련함
조금 떨어진 곳에서 보고 있는데도 마치 코앞처럼
그 넓은 빈자리를 너로 채우게 돼

샤아아아
가을의 시원한 미소

하늘마저 멀어지는 계절

하늘마저 멀어지는 계절이 온다
그토록 뜨거웠던 바람은 떠나고
그저 푸르기만 한 구름이

나부끼는 봄의 애틋한 사랑 노래
뺨을 스치는 여름의 애절한 이별 노래

눈을 감으면 멋들어지게 차려입은 공연장
일등석에서 내려다보는 연극

하늘마저 멀어진다
손아귀에 잡히지 않는 구름을 가만히
헛수고를 알면서도 뻗어 본다

그릇 안에서 춤추는 숟가락의 경쾌함
가벼운 주제로 대화하는 부자의 얼굴은 어찌나 푸르
던지

이런 하늘엔 떠나볼까 싶다가도
그저 보고만 있어도 푸르러지는 기분에
가만히 감상키로 한 점심

하늘이 저리 멀어졌다고
우리마저 멀어져야 하는지

그저 헛되었대도
뻗어 볼 수 있는 게 아닐는지

그렇구나, 그래

그래, 그렇구나
내 입은 이제 굳어 두 단어만 발음할 줄 안다

그래, 그렇구나
버튼을 누르듯 당연하게 발음해야 한다

그래, 그렇구나
그렇구나, 그래

얼굴을 본 게 언제인지
눈을 보고 대화한 게 언제였는지

갈라진 입술에는 고단함이 묻어있으니
그래, 그렇구나

그렇구나, 그래
다 마른 나뭇가지를 자를 수 없으니

저기 두고 올려 봐야지 목젖이 다 보이게
다 마른 우리처럼

환절기

사방이 우거진 나무는 가고
온통 파란 하늘이 온다

가벼워진 몸으로 떠나볼까
걸음은 무겁기에 여전히 같은 자리

부질없다
그 간단한 단어를 이제야 찾은 내가

허망한 숨만 거대하다
뒷맛을 다시는 혀는 아리고

가늘게 올라간 입꼬리와
죽은 눈으로 시를 쓰자
온통 파란 하늘이 가면
세상이 조금은 하얘질까

커다란 말풍선을 입에 물고 다닐 거야
결국 펑 터져버릴 것을 알아도

그립다
그 부질없는 단어가 묶은 네가

이른 가을은 아직 여름의 얼굴을 하고 있다

나뭇잎은 채 갈아입지 못해 어정쩡한 자세
이것도 저것도 아닌 색의 부조화
그럼에도 사랑스럽기에

기분 좋게 후덥한 공기가 뺨을 스쳐 지나가고
사방은 태연하게 푸르고 노란색
그렇기에 사랑스럽다

나무는 여전히 진하게 자리를 지키고
서운한 바람만 저기서 여기로
그러나 사랑해야 하기에

이른 가을은 아직 여름의 얼굴을 하고 있다
다 떠나보낸 줄 알았던 소식을 어련히 떠올리게

늦은 여름이라 착각하며
결국 사랑해야 하는 걸까

목격자

밤새 내린 비에 조금 불어난 강물만 수다스럽다
성큼 찾아온 찬 바람에 콧잔등은 시큰하고
입으로 뱉는 공기는 유난히 뜨겁다

느지막이 거니는 도로는 그리 흘러간다
간혹 뵈는 우산은 무엇이 바빠 저리 쏜살같은지

고개를 떨군다
입술에 맺힌 하얗디하얀 속마음만 덧없이 커지는데
결국 전해지지 못하고 강물로

툭

여전히 수다스러운 강물이 다행히 휩쓸고 간다
흔적 잃은 존재를 존재했다 할 수 있는가

다만 목격자는 나 하나
내 입만 조심하면

나의 사랑은 늘 그런 모양

나의 사랑은 늘 그런 모양
오랫동안 고작 마음 하나 열어두고
제 발로 들어오길 바라기만

무엇도 시도하지 않으며
알아주지 못함에 실망만

앙상한 나뭇가지는 나를 닮아 미련하지
몇 달이고 묵묵히 자리를 지키니
까치집만 비대해 보여

열매 하나 맺지 못해도
나뭇잎 한 장 매달리지 않아도

기어코 푸르러지리
몇 번이고 삼킨 문장에 더부룩
다만 쏟아내지 못해 갑갑하건만
미련스레 씹어 삼키기를 몇 년

올해라면
시원스럽지 못한 단어만 혀끝에 대롱대롱

바람은 찬데 볕은 따가워
진한 필터로 가린 하늘은 유난히 뿌예

다시 오지 않는 너와
홀로 삼킬 수밖에 없는 너와
또 같은 자리에 앉을 나

나의 사랑은 늘 그런 모양
기껏 열어둔 마음이 전부라
닫을 줄 몰라 영영 바라기만

가을이구나

매 글자를 힘주어 읽는 부러움이 매달린 눈매로
첫걸음을 뗀 아이를 보는 따스한 엄마의 눈길로

삼인칭의 카메라 열 발짝 떨어진 곳 옷걸이의 말끔한
슈트 차림으로 다음 발음을 옴짝이는 입술과 빨랫줄의
수건 같은 시선으로 태엽이 끝나가는 인형 같은 양손으
로 깊게 한숨 쉴 것도 없이 오직 뿌듯함을 안경처럼 쓰
고 바람 빠진 풍선 같은 소리로 웃으며

당연하다는 듯 먹었던 마음을 도로 뱉고 심장은 신코
를 멋대로 두드리고 맘대로 빨갛고 가뿐히 밟고 서니
다리를 허리를 양손을 어깨를 목을 입을 귀를 눈을 머
리를 진동시키고

화면은 불안한데 당신들의 사랑은 여전하고
마음은 길길이 나뒹구는데 당신들은 똑같고

매 글자에 힘준 눈매는 벌게지고 아이의 걸음은 당연
해지는데 당신들의 입술과 시선과 양손은 여전히 뿌듯
하게 바라볼 수밖에 없는데 당연하게 뱉은 마음을 다시
삼키는데 검게 물든 신코를 닦을 여력은 없는데

천천히 내려오니 머리는 눈은 귀는 입은 목은
어깨는 양손은 허리는 다리는 여전한데

화면마저 어두워졌는데 당신들의 사랑은 진동하고
자국 따라 떡칠된 테이프를 따라 마음은 여전한데

아

가을이구나

사랑이 별거니

변치 않겠다는 다짐은 얼마나 볼품없니
굳건히 닫은 입술에도 틈은 있단다

모질게 잡은 손은 아팠을 거야
놓을 생각은 없었어 그때는

홍수가 별거니
대수롭지 않게 덜 채운 자갈 한 톨
고작 그거 하나에 사람은 죽는단다

그러니 다짐은 신중해야 돼
겨우 한 줌마저 빼곡하게

사랑이 별거니
정녕 그거 하나에 사람은 살아간단다

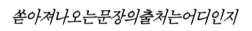
쏟아져나오는문장의출처는어디인지

여름 향수(鄕愁)

무화과 내음으로 가득한 폐를 소중히 껴안고
인중에 묻은 여름은 더욱 정성스레 닦아내고
불어오는 가을은 두려우니 서둘러 도망쳐야지

앙상한 나뭇가지만 어깨동무
멀리서 보면 빼빼 마른 거미줄

도망가는 여름의 손목을 낚아채
여기 이곳에 고스란히 묶어두고

뿌듯한 미소만 지을 줄 아는 얼굴로
다 말라 버석거리는 껍데기를 지그시

뒤통수에 내려앉은 겨울만 서럽지
날갯죽지에 불어오는 봄은 서운코

폐는 아직 무화과 냄새가 나는데도
인중은 여름에 짓물러 뜨겁고
가을은 여전히 두렵기만

까딱 까딱 까딱 까딱 까딱

느지막한 오후 알게 모르게 스며드는 불안함
분명한 여유마저 의심스러운 월요일

정갈한 옷차림
쏟아져나오는문장의출처는어디인지

가을에도 벚꽃이 피는구나
앞뜰에 핀 앙상한 나뭇가지

행복할 수 있었던 아침을 두드리는 망치
불행을 못 박는 소리

단말마

내내 앓았던 주말은 어쩐지 그리워
유난히 맴도는 초면인 노래

쑥스럽게 내민 손에는 무엇이 적혀
그리도 빠안히 보게만 되는지

손가락들만 무안하지
까딱 까딱 까딱 까딱 까딱

슬며시 겹치는 손바닥들
가을에도 벚꽃은 피는구나

나무 액자

그 모습 그대로 영영 해맑게
탁상 위에도 거울 옆에도 현관 앞에도

당연하다는 듯 지나치다가도
불현듯 떠올라 발걸음을 멈추게

그렇게 몇 시간을 넋 놓고 바라보게
두 번은 없을 그때를 떠올리며

바람에 삐딱해진 우리를 정돈하고
뿌듯한 웃음으로 먼지를 털어내면
밀물처럼 그리워 눈물을 쏟아지고

우리였던 너와 나는 이곳저곳에서 해맑기만

영영 웃기만 하고
그리움 따위 생각지 않고

손톱만큼의 값어치

화사함과 아득함만 남은 지평선을 올려 보며
멀게 흰 구름과 소심하게 단장한 나뭇잎의 관계를 떠
올려 본다

태양을 피해 조심히 내민 달의 기분으로
초점 없는 눈으로 꽁무니만 졸졸

주황 지붕이 숨긴 보물은 손톱만큼의 값어치

뚜렷하고 두꺼운 구름을 보면 웃다가도
연하고 얇은 바람에 찌푸리기를 몇 달

그리다 남은 물감은 깨끗이 버려주세요

잔뜩 처방받은 만약을 부스럭
검정 후드티는 정수리만 하얘

습관처럼 물어뜯는 손톱만큼의 값어치
끝내 마모될 앞니와 무성할 손톱만큼의

잊은 줄 알았던 소나기는 불현듯 어깨를 적신다

넋이 나간 눈으로 걷는 골목길
가로등의 수다와 길고양이의 도약
숨소리 하나 들리지 않는 좁은 새벽

그때가 떠올라 주저앉을까 싶다가도 가로등 아래는
너무 밝으니까 걸음만 재촉하고

고작 한 뼘 달만 무성하지
그 좁은 틈에서도

다물어지지 않는 입술 사이로 뱉는
겨우 잊은 줄 알았던 그 이름

우산을 잊고 걷는 골목길
어쩌면 잃었을지도 몰라

불현듯 토닥이는 소리에 돌아보면
고작 소나기

해본 적도 없다

저어기 머나먼 곳에서 웃는 네가 무심코 돌린 시선에
내가 걸린다거나 반갑다는 듯 기쁘게 단숨에 한달음에
온다거나 준비도 안 된 마음으로 잡은 손에 힘을 준다
거나 놓아주지 않는다거나 영원하다거나 우리가 행복하
다거나 끝내 서로를 사랑한다는

　그런 생각 따위

속 시끄럽게 사랑

속 시끄럽던 지난날이 허망타
고작 한 장에 이리도 처참해질 수 있다니

삽시간의 고요
마지막 타오름에 촛농
뚝

뚝
속 시끄럽던 시간이 서럽다
끝까지 혼자구나

겨우 한 줄의 소식
가스레인지 손잡이를 돌리듯 간단히
펄펄 끓는 물처럼 속 시끄럽게

25

몇 번이고 웅얼거렸던 한 마디는 끝내 추해졌다
뻗은 손만 어색하고 동공은 갈길을 찾지 못하고
근처조차 닿지 못해 끝내 아무것도 아닌 한마디
단 한순간 힐끗 돌아보는 어느 기적만 꿈꾸는데
다시금 떠오르는 한마디를 마지막으로 입에 담자
마지막을 빙자한 처음을 포기를 사칭한 마음으로

각질투성이 사랑

가을 햇볕 같은 사랑을 해요
시리면서 뜨겁게 어느 때보다 건조하게
각질투성이 사랑을 해요

입김마저 누런 가을
바닥은 새하얗죠
순수함 따위 옛말이니 가까이 가지 마세요

다만 껍데기 열심이었던 흔적
이젠 피해 가기 바쁘죠
노력만 남은 사랑

가을 햇볕 같은 사랑을 해요
저무는 해가 외롭다는 이유로
건조하게 그런 척해요

사랑은 기어코 깨물어 보게 되는 사탕

사랑은 기어코 깨물어 보게 되는 사탕
안달 나는 단맛이 혀끝에서 입속으로
입속에서 식도로

천천히

눈을 감고 즐기는 단맛은 갈증만

손가락 끝에서 시작되는 욕망
온몸이 말해 단숨에 삼키고파

데굴 데굴
사탕은 왜 둥글까

데굴 데굴
입천장의 찐득거림

달그락 달그락
어금니로 씹어볼까

달그락 달그락
파편마저 달콤할까

화자와 필자는 달라야 해

인연

당신은 느끼셨나요

파도 같던 재즈가 일순 멈춘 무한한 쉬는 시간
악기는 내려둔 채 다소곳이 관객을 응시하는

그 눈빛
가라앉는 공기
무겁게 솟아버린 볼륨

한 번의 호흡조차 사인이 되는
험악한 전장의 한복판

덜컥 마신 숨에는 커피 내음 딸꾹
놀라버린 심장

당신도 느끼셨나요

머리가 붉어지는 계절

머리가 붉어지는 계절이 와요
건조하게 눌어붙은 생각들
한숨 한 번에 휘잉

손톱으로 긁으면 안 돼
못 참겠으면 손가락 마디로 톡톡 두드리렴

톡톡
누구세요

짓무른 딱지가 여기저기 손톱 사이에도

긁으면 안 돼
생각들이 날아가잖아

머리가 붉어지는 계절이 와요
가을인가봐
겨울이야
요즘 가을이 어딨냐

톡톡
순 거짓말

나뭇가지는 힘없는 거미줄
휘잉
차라리 딱지라도 눌어붙었으면

머리가 붉어지는 계절이 와요
머리가 하얘지는 그날이 와요

유난히 보고픈 밤

유난히 보고픈 밤이 있다
눈을 감으면 그럴 리 없는 우리가 지을 리 없는 표정
으로 보낼 리 없는 시간을 함께 한다

행복함
뜬눈으로 지새우게 만드는

우리는 그곳에서 우리를 우리라고 부른다
비집고 들어오는 햇빛은 아니라 외치는데

행복함
손으로 안대를 만드는

유난히 보고픈 밤이 있다
유난히 보고픈 밤이 매일이다

노크

갑갑한 가슴을 두드리며 나선 현관
찌뿌둥한 어깨를 빙글빙글

짧은 한숨 속 불편함과 구겨진 미간 사이 답답함
크게 부푼 가슴은 쪼그라들겠지만

꽉 막힌 속은 여전히 더부룩
주먹 쥔 엄지로 두드리는 명치

그 안에 사는 당신은 대체 누구길래
몇 번을 두드려도 대답 한번 없는지

한심한 일

전해지지 않을 문장을 손으로 쓰는 일은 예법 한심한
일이다
겨우 마주 앉은 일로 알아주길 바라는 것만큼

우린 글로 만났기에 푸념 같은 글로만 네 귀에 들어
가길 바라지

예법 한심한 일이다
매일 밤 펜을 잡고 그때 그곳을 생각하고
그 얼굴을 노트에 남기는 건

아주 가끔 포기했다
그럴 때마다 너는 꿈속에서 그렇게나 환하게

응시 그건 두려운 일
네 마음이 내 눈빛과 같길 바라는 것만큼

화자와 필자는 달라야 해

행복은 생각만큼 멀지 않았다

행복은 생각만큼 멀지 않았다

다 마신 커피잔을 더듬는 손에 남은 온기를 느끼고
놀란 기색이 역력한 눈을 보며 같은 표정을 짓고
가까워지는 서로의 호흡을 듣는 것만큼이나

멀어지는 뒷모습은 붙잡을 수 없는 오늘

머릿속만 복잡타 두 다리는 게으른데
문만 매정치 두 번은 열리지 않으니

잔향은 어지러운데도 흠모하게 돼
감은 눈으로 닭 울음을 듣자

나지막한 인사는 네 목소리
열리지 않을 문만 영영 바라자

불행은 생각보다 조금 더 가까웠다

새벽에만 만나네요

빗방울은 처연함
머릿속에 맴돌던 뜻도 모르는 문장 한 줄

아무것도 묻지 말고
그렇구나 끄덕여주세요

빗방울은 처연하지
함께 중얼거려주세요

새벽은 잡스러운 시간
단어도 되지 못한 자모가 아무렇게 춤춰요
두꺼운 얼굴이 정말 부러워

우리는 왜 일기 속에 편지를 쓰나요

잉크 다 마른 만년필은 선물
오직 나만을 생각해주던 시간도 새벽이었나요

그대에게 나는 잡생각이었나요
전송 버튼 옆에서 반짝이기만 했던 문장은
결국 자모로 흩어졌나요

우리는 영영
새벽에만 만나네요

속삭임과 속 썩임

당신에게 나는 무슨 의미였나요
나는 속삭이길 좋아해요 아무도 모르게

속 썩인 말들이 어찌나 많던지

그럼에도 찾게 되는 게 의미인데
나는 당신에게 어떤 속삭임이었나요

우리 만나요 계산은 말고
그냥 만나서 대화해요 웃으면 더 좋고

우리 꼭 그렇게 해요 속 썩이지 말고
속삭이던 말들도 어느덧 전해졌어요 눈빛으로

기다렸던 거야 목소리로 들을 날

그러니 만나요 계산은 말고
나는 당신을 좋아해요

가상현실

다잡지 못할 다짐을 되뇌는 나는 얼마나 한심하니

기어코 끄집어낸 당신은 다 마른 잉크
힘주어 쓰지 않으면 만날 수조차 없지

같은 단어를 몇 번이나 덧칠해
읽을 수도 없는 낙서로 두기엔 내가 너무 불쌍해

나는 이 행위의 저의를 몰라
나에게 파란 약을 건네줘 네오

가만히 눈을 감는 것만으로 너를 쓸 수 있다면
몇 번이고 시커먼 잉크통에 머리를 담구고 빼겠어

그 시간은 정녕 괴로울 거야
안다고 달라지는 건 없어 네오

그러니 네오 이 일기를 그녀에게 건네줘
나는 이제 그녀를 만나러 떠나야 돼

핑계는 새빨간 거짓말이 죄책감에 연해진 마음

핑계는 새빨간 거짓말이 죄책감에 연해진 마음
그러니까 핑계는 결국 새빨간 거짓말
그러니까 지금 우리 사이 거리는
고작 옅어진 죄책감 따위

우리 겨우 그런 이유로 멀어지지 말아요

핑크빛 사랑을 나눠요 유치해도
핑계 따위 말고

붉어진 뺨을 마주 봐요 부끄러워도
새빨간 거짓말 따위 말고

우리는 왜 일기 속에 편지를 쓰나요

발   행 | 2024년 06월 03일
저   자 | 하현태
펴낸곳 | 주식회사 부크크
출판사등록 | 2014.07.15.(제2014-16호)
주   소 | 서울특별시 금천구 가산디지털1로 119 SK트윈타워 A동 305
호
전   화 | 1670-8316
이메일 | info@bookk.co.kr

ISBN | 979-11-410-8794-4

www.bookk.co.kr
ⓒ 하현태 2024
본 책은 저작자의 지적 재산으로서 무단 전재와 복제를 금합니다.